À l'aventure!

Sur la route de la contrebande

a graded reader for beginning students

Joseph F. Conroy

Editor: André Fertey
Illustrations: Eric Bakke

EMC Publishing, Saint Paul, Minnesota

Library Congress Cataloging in Publication Data

Conroy, Joseph F.
    Sur la route de la contrebande.
    (À l'aventure! ; 3)
    Summary: A reader for beginning French
students in which travelling students fall into
a trap involving shady characters, highways,
trucks, and mysterious loads smuggled from
Italy into France.
    1. French language — Readers. [1. French
language — Readers]
I. Fertey, André. II. Bakke, Eric, ill. III. Title.
PC2117.C736   448.6'421   81-7817
ISBN 0-88436-856-4   AACR2

Published by **EMC**Paradigm Publishing
875 Montreal Way
St. Paul, Minnesota 55102

Printed in the United States of America
0 9 8 7

INTRODUCTION

Poor Fred Kelly! In all the years that he has been taking high-school students to France nothing unusual has ever happened — until now. This year's group seems to have a penchant for adventure. It seems that every time Fred picks up a newspaper he reads something about one of the students he has placed in French families: a narrow escape with bank robbers, an encounter with an international espionage ring, even a run-in with smugglers.

This book is one of a series of beginners' readers in French. Each book contains one complete adventure and French-English vocabulary. There are questions after each chapter. The language used is simple everyday French, and the structures are those commonly taught in first-year courses. Where idiomatic material occurs, a marginal gloss supplies a translation. The vocabulary has been kept at a basic level, as recognized in LE FRANÇAIS FONDAMENTAL, so that students can read through the book with ease and confidence.

Bonjour! Ici Fred Kelly avec l'histoire de l'aventure de Paul Raspucci, un de mes élèves.

Paul est le plus indépendant des élèves qui sont ici en France avec moi pour trois semaines. Alors, il décide d'aller seul à Lyon. Là, il habite dans une famille bourgeoise, les Clavier.

Selon moi, les Clavier sont des gens tout à fait ordinaires. Imaginez ma surprise quand une lettre arrive de Paul – une lettre qui parle de contrebande et de criminels. Et aussi d'une aventure en camion à travers la France.

Mais voilà l'histoire..

I. Lyon

Paul Raspucci fait le voyage de Paris à la ville de Lyon en trois heures. C'est une distance de quatre cent quatre-vingts kilomètres.

L'élève américain prend un *TGV* à la gare de Lyon, à Paris. Un *TGV*, c'est un 'train grande vitesse', et c'est le plus rapide des trains européens. Paul est content de l'expérience.

Maintenant, il sort de la gare de Perrache à Lyon. La journée est belle, et la ville est *animée*. *lively* Paul attend l'arrivée de son hôte, M. Clavier, devant la gare. Il est sur le Quai Perrache, en face du Rhône.

Paul Raspucci a seize ans. D'habitude il est calme, mais aujourd'hui il est un peu inquiet.

– Bon. Voyons, pense-t-il, il est déjà deux heures et quart. Où est ce bon M. Clavier?

Mais il est question de seulement quinze minutes. Ce n'est pas grand-chose.

– Salut, l'Américain! disent deux filles qui viennent vers Paul. Elles sourient.

– Euh, bonjour, mesdemoiselles, dit Paul.

– Mais…nous sommes les Clavier. Vous êtes notre invité, l'élève américain, n'est-ce pas?

– Ah, oui! répond Paul. Je m'appelle Paul Raspucci. Je suis très heureux de faire votre connaissance, mesdemoiselles.

– Très heureuse aussi, Paul. Je suis Madeleine Clavier. Et voici ma soeur, Mireille.

Madeleine Clavier est une jeune fille robuste de dix-huit ans. Elle a de longs cheveux blonds et les yeux bleus qui brillent. Elle porte un jean et un tee 'OHIO STATE UNIVERSITY'.

Mireille Clavier a quinze ans. Elle ressemble à sa soeur, mais elle est plus svelte. Elle aussi porte un jean et un tee.

– Euh, j'attends un *Monsieur* Clavier, dit Paul. C'est bien votre père?

– Oui, répond Mireille. Mais Papa est à la maison. Il a beaucoup de travail et ne peut pas sortir aujourd'hui. Alors, nous sommes ici pour vous rencontrer et pour *vous amener* à la maison.

to take you

– Bon. Mais comment? demande Paul.

Mireille montre de son doigt un gros camion vert de l'autre côté du Quai Perrache. Sur le camion, un panneau annonce: TRANSPORTS CLAVIER.

M. Clavier est chauffeur de camion. Il est aussi le président de sa petite compagnie. Il a trois camions et il est très occupé.

– Madeleine sait conduire ce camion-là, dit Mireille. Elle admire sa soeur.

Les trois jeunes gens traversent la rue et vont au camion. La cabine du camion est grande. Il y a de la place pour tous les trois.

Alors, Madeleine est au volant. Mireille est à côté d'elle et Paul est près de la fenêtre.

– Mais où est-ce que vous habitez? demande Paul. Ce n'est pas à Lyon?

– Nous habitons à Meyzieux, dit Madeleine.

– Ce n'est pas loin, ajoute Mireille.

Le camion démarre, traverse le Rhône, suit la rue Jean Jaurès et quitte la ville après quinze minutes. Il n'y a pas beaucoup de circulation.

– *Mes yeux,* c'est un drôle de nom pour votre village, dit Paul. Il montre ses yeux.

– Oh, non, pas *mes yeux,* répond Mireille, et elle rit. C'est *Meyzieux. Emme...e...i-grec...zèd ...i...e...u...iks!*

Madeleine rit aussi. Les idées des étrangers sont bien curieuses!

Questions

1. Comment est Paul Raspucci?
2. Comment voyage-t-il à Lyon?
3. Qui attend-il devant la gare?
4. Pourquoi M. Clavier ne vient-il pas?
5. Quelle erreur Paul fait-il?

II. Turin

Turin est une ville d'Italie à l'ouest de Milan. La ville est à soixante-quinze kilomètres de la frontière française.

Dans une petite rue derrière quelques vieux bâtiments, il y a quatre hommes silencieux. Ces hommes portent de grosses caisses. Ils mettent les caisses dans un camion Mercedes. Sur le camion, on lit l'annonce: DÉMÉNAGEMENTS J.P. DOLNOT ET FILS. Mais ce ne sont pas des meubles dans les caisses. Les hommes chargent le camion d'une marchandise beaucoup plus profitable – mais aussi *tout à fait* illégale. *quite*

Ah! Voilà M. Giovanel qui sort du bâtiment à gauche. Il porte un complet gris. Et ce n'est pas un complet *prêt à porter.* M. Giovanel est un homme *off the rack* élégant. Il est aussi le chef de cette bande de gens peu honnêtes. M. Giovanel est expert en contrebande. Il est très riche. C'est aussi un homme dangereux.

– Est-ce que nous sommes prêts à partir? demande M. Giovanel à son acolyte, Ugo.

– Encore vingt minutes et c'est fini.

– Bon. Mais disons plutôt dix minutes. Je veux

être en France avant le coucher du soleil.

Alors, dans dix minutes toutes les caisses sont dans le camion. Bruno, le chauffeur, est déjà dans la cabine. Ugo monte ensuite, puis M. Giovanel. Il préfère s'asseoir à côté de la fenêtre. Et ce qu'il préfère, il le fait!

Le camion quitte Turin et suit la route Europe treize vers la France. Sa destination est Lyon, à une distance de trois cent trente kilomètres. C'est un voyage familier à la bande de M. Giovanel. 'La route *d'or,*' il l'appelle.

golden

Après une heure sur la route, le camion arrive à Susa, puis monte dans les Alpes au *col* du Mont Cenis. Maintenant, M. Giovanel et ses caisses de contrebande sont en France.

mountain pass

Les formalités de la douane ne causent pas de difficultés à M. Giovanel. Les douaniers le connaissent bien. Ils ne s'imaginent pas la vraie profession de ce monsieur distingué!

– Bonjour, M. Giovanel! dit un des douaniers. Comment vont les affaires?

– Ah, bonjour, mon ami, dit M. Giovanel. Les affaires sont mauvaises comme toujours.

Les douaniers rient à ces mots. Il est évident que M. Giovanel est riche.

– Regardez par vous-même, continue M. Giovanel. Est-ce que je prends l'avion? Non, je dois faire mes voyages d'affaires dans ce camion avec mes employés.

Les douaniers trouvent M. Giovanel très drôle. Il y a des victimes qui le trouvent sauvage et terrible.

D'une façon superficielle, les douaniers ouvrent les portes à l'arrière du camion et regardent dedans. Ils voient des caisses. Une caisse est ouverte. Il y a des tables dedans. M. Giovanel est *rusé*.

sly, clever

Le camion entre alors en France, traverse Lanslebourg et continue vers Lyon. M. Giovanel sourit. Tout va bien comme d'habitude.

Soudain, le moteur du camion commence à faire du bruit. Bruno, le chauffeur, arrête le camion et va regarder sous le capot.

– Qu'est-ce qu'il y a, Bruno? demande M. Giovanel, troublé. Il n'aime pas les surprises désagréables.

– Je ne sais pas, monsieur, répond Bruno. Il y a quelque chose qui…

– Remonte, imbécile! dit M. Giovanel. Si le moteur marche, ça va bien.

Alors, le camion démarre encore. C'est à Saint-Jean-de-Maure qu'il *tombe en panne*. Et Bruno ne sait pas réparer le moteur.

breaks down

M. Giovanel et ses deux employés cherchent un garage et un mécanicien. Quand le mécanicien voit la grande somme d'argent dans la main de M. Giovanel, il est d'accord pour travailler toute la nuit, si nécessaire, pour réparer le moteur.

Les trois contrebandiers doivent passer la nuit dans un hôtel à Saint-Jean-de-Maure.

Quelle coïncidence bizarre rattache ces contrebandiers à Paul Raspucci, élève américain? Attendez. On va voir.

Questions

1. Où *se trouve* Turin?

   est
2. Qui est M. Giovanel?
3. Où vont les trois contrebandiers?
4. Montrez que M. Giovanel est rusé.
5. *Qu'est-ce qui arrive* aux contrebandiers?

   what happens
6. Qu'est-ce qu'il y a dans les caisses? (Imaginez!)

III. Meyzieux

– Nous voilà chez nous! dit Madeleine. Elle arrête le camion devant un grand immeuble moderne.

– Vous habitez ici? demande Paul. Dans son imagination, il pense que tous les Français habitent ou de petites maisons rustiques dans les provinces ou des appartements chics à Paris.

– Oui, répond Mireille. Nous avons un grand

appartement au premier étage, là, à droite.

Paul regarde autour de lui. Il voit quatre autres bâtiments qui ressemblent à l'immeuble devant lui. À l'entrée du parking il y a une affiche qui dit: HABITATIONS COLLINES DU RHÔNE – *Appartements de luxe.*

– Venez, dit Madeleine. Voilà Papa.

M. Clavier sort du bâtiment et vient vers les jeunes gens. C'est un homme grand et fort. Il a quarante-cinq ans et il travaille dur à l'entreprise familiale.

Mme Clavier n'est pas là. Elle est trapéziste dans un cirque hollandais. Elle déteste les camions et la vie bourgeoise de son mari. C'est une femme libre. En tout cas, elle envoie des cartes à Noël et pour les anniversaires.

– Ah, bonjour! Bonjour, mon ami! dit M. Clavier. Il *serre* la main à Paul. – Bienvenue chez nous. Je suis content de te voir!

shakes

Madeleine présente Paul à M. Clavier. Elle est un peu en retard. M. Clavier a déjà le bras autour des épaules de Paul.

– Montons à l'appartement, hein? dit M. Clavier. Où sont tes valises?

Quand Paul dit que ses valises sont toujours dans le camion, M. Clavier dit à ses filles d'aller les prendre.

Il y a un ascenseur dans le bâtiment, mais M. Clavier préfère l'escalier.

– Nous sommes seulement au premier, dit-il, et l'escalier, ça donne de l'exercice!

L'appartement des Clavier est vraiment grand. Il y a six pièces: une salle à manger avec quatre grandes fenêtres, un bureau où M. Clavier fait ses comptes, et un salon où les meubles sont confortables et modernes. Puis, le long d'un couloir, il y a trois chambres. Chaque chambre a un balcon. La salle de bains est au bout du couloir et la cuisine est entre le salon et la salle à manger.

– Et voilà ma tante, Mme Bertin, dit M. Clavier. Elle fait la meilleure cuisine de toute la région lyonnaise!

Mme Bertin est vieille. Elle a soixante-treize ans. Mais elle est toujours énergique. Elle est contente d'avoir un visiteur américain.

– Tu vas dormir dans ma chambre, Paul, dit M. Clavier. Ce *canapé*-là dans le salon est un canapé-lit. Je vais dormir là. *sofa*

– Ça vous convient, Paul? demande Mireille.

– Oui, parfaitement, merci, dit Paul. Euh…est-ce que nous pouvons nous tutoyer?

– Bien sùr, Paul! dit Madeleine. C'est la coutume entre les jeunes.

La vieille Mme Bertin va dans la cuisine pour préparer le dîner. M. Clavier s'excuse aussi: il a encore du travail dans son bureau. Les deux filles s'asseyent dans le salon pour regarder la télé. Les Clavier ont un téléviseur en couleurs.

Paul s'excuse et va dans sa chambre pour défaire sa valise. Il est un peu fatigué, mais il est content dans sa famille française.

Et le camion de M. Giovanel? Il est toujours à Saint-Jean-de-Maure, en panne. Mais le destin prépare des surprises pour le terrible M. Giovanel. Et pour Paul Raspucci aussi!

Questions

1. Où habitent les Clavier?
2. Comment est M. Clavier?
3. Comment est l'appartement des Clavier?
4. Qui est Mme Bertin? Comment est-elle?
5. Où est-ce que Paul va dormir? Et M. Clavier?
6. Où est M. Giovanel?

IV. Le château de Veliziers

À six kilomètres au sud de Meyzieux il y a le domaine d'un vieux château. Le château de Veliziers n'est pas en bonne condition. Le propriétaire, un certain M. Mazzarin, préfère la Côte d'Azur à ce vieux bâtiment peu confortable.

Au château, il y a des volets fermés à toutes les fenêtres pendant toute l'année. Une grosse chaîne bloque l'entrée de l'allée du château aux touristes et aux vagabonds.

Devant le bâtiment négligé, il y a un camion. Et il y a un *type* qui travaille sur le moteur. Ce n'est pas M. Mazzarin, bien sûr. C'est Guy Biberon, son chauffeur. M. Mazzarin est au château. Il parle au téléphone avec un collègue en Italie.

guy

– Alors, *Signor* Piselli, vous dites que Claude Giovanel est déjà en route? demande M. Mazzarin. Mais où est-il donc?

Monsieur

C'est alors que M. Mazzarin apprend les difficultés mécaniques du camion de M. Giovanel.

– Bon, continue-t-il, j'attends son arrivée demain, dans l'après-midi. Et dites-moi, Signor Piselli, est-ce que tous les *meubles* sont bien dans le camion?...Excellent!

À ce moment-là, Guy Biberon entre dans le sa-
lon, les pieds sales, les mains couvertes de *cam-*   *grease*
bouis. Il regarde M. Mazzarin et fait *non* de la tête.
M. Mazzarin comprend.

– Bon, bon, dit-il dans l'appareil, je vous quitte,
alors, Signor Piselli. Au revoir.

Puis, M. Mazzarin parle à son chauffeur:

– Qu'est-ce qu'il y a, Guy?

– C'est le moteur, Monsieur. Ça ne va pas du
tout. Je crois que c'est irréparable.

– Quoi? Comment ça?

– Oh, peut-être après quatre ou cinq jours au garage, avec un mécanicien pour m'aider, je…

– Impossible! Nous n'avons pas quatre ou cinq
jours. Giovanel et les meubles arrivent demain.
Nos *clients* attendent la marchandise à Bordeaux.
Voyons alors…

– Mais, à Lyon il y a beaucoup de camions, et
beaucoup de gens qui…

– Qui vont transporter nos caisses sans poser de
questions? Je ne le crois pas.

Guy Biberon *hausse les épaules* et sort. Ce n'est   *shrugs*
pas lui, le patron. M. Mazzarin s'assied dans un
vieux fauteuil et continue à penser. Il ne veut pas
irriter le dangereux Claude Giovanel.

Questions

1. Où se trouve le château de Veliziers?
2. Comment est le château?
3. Que fait M. Mazzarin dans le château?
4. Et que fait Guy Biberon?
5. M. Mazzarin ne veut pas irriter Giovanel.
   Pourquoi?
6. Quelle difficulté est-ce qu'il y a chez M. Mazzarin?

V. Autour de Meyzieux

Le matin après son arrivée, Paul Raspucci *se lève* tôt. Il s'habille vite: un jean, une chemise Western et des souliers *Adidas*. Puis, Paul va dans la cuisine. Mme Bertin est déjà là.

gets up

– Mais, bonjour, Monsieur Paul! dit-elle. Tu te lèves tôt. Il est seulement sept heures dix. Les filles sont encore au lit.

– Je sais, madame. Mais c'est une grande aventure pour moi, visiter un autre pays. Je ne veux pas dormir trop longtemps.

M. Clavier entre alors dans la cuisine. Il salue Paul et Mme Bertin, puis il va chercher le café sur la cuisinière.

– Prends du café, Paul, dit-il. Moi, j'ai du travail aujourd'hui. Les filles vont passer la journée avec toi.

– Très bien, monsieur, répond Paul.

Madeleine et Mireille arrivent. Elles ont toujours sommeil.

– Allez! dit Mme Bertin. La cuisine est trop petite pour tout le monde. Allez dans la salle à manger. Je vais apporter du café et des toasts.

Mme Bertin apporte les tasses et elle les met sur la table. Madeleine apporte la cafetière. Mireille vient avec le pain et quelques brioches.

– Alors, Madeleine, commence M. Clavier, qu'est-ce que tu penses faire aujourd'hui?

– Je ne sais pas encore, Papa. Cela dépend de Paul. Qu'est-ce que tu veux faire, Paul?

– Allons voir les Alpes!

Tout le monde rit. Les Alpes ne sont pas si près que ça de Meyzieux.

– Je sais! dit Mireille. Allons faire un pique-nique à la campagne.

– C'est une bonne idée, dit M. Clavier. Tu sais, Paul, que notre région est célèbre pour ses vins – le Beaujolais, par exemple.

– Et puis, ajoute Mme Bertin, il fait beau aujourd'hui. Il faut sortir.

– Bon. J'accepte avec plaisir, dit Paul. Et demain, on peut visiter Lyon, ça va?

– Mais oui, Paul, dit Mireille, comme tu veux. Aujourd'hui, nous allons voir la campagne.

– Est-ce que je prends ta voiture, Papa? demande Madeleine.

– Bien sûr, Madeleine, répond M. Clavier. Prends la voiture. Je vais conduire le camion au garage. Excusez-moi, s'il vous plaît. Je dois téléphoner à Jacques.

Mme Bertin s'excuse aussi. Elle rentre dans la cuisine. Elle veut préparer de bonnes choses pour le pique-nique.

Dans un grand panier elle met du jambon et du fromage, des poires et du pain, du poulet froid et du raisin blanc.

Madeleine vient dans la cuisine aussi. Elle ajoute une bouteille d'eau minérale. Mireille va chercher du soda.

Alors, tout est prêt et les jeunes gens veulent commencer tout de suite. Ils vont dans le parking derrière l'immeuble et mettent toutes les choses nécessaires pour le pique-nique dans le coffre de la Renault-16 bleue de M. Clavier.

Naturellement, c'est Madeleine qui conduit. Les jeunes gens quittent Meyzieux et vont vers le sud, vers Bourgoin.

Le pays est très beau. Il y a beaucoup de *vigno-bles* – des champs où il y a des vignes et beaucoup de raisins.

Ils passent quatre heures le long des routes. Paul est ravi de la beauté de ce pays si riche.

Enfin, ils ont tous faim. Ils décident de s'arrêter au bord de la route pour prendre le déjeuner en plein air.

– Mets la nappe, Mireille, dit Madeleine. Je vais apporter le panier.

Ils mangent avec grand appétit.

– Nous avons une vue spectaculaire d'ici, dit Paul. Regardez, qu'est-ce que c'est que ce bâti-ment là-bas? Est-ce un château?

– Je crois que oui, Paul, dit Madeleine. Veux-tu aller le voir de plus près?

– Oui, bien sûr! J'ai mes crayons avec moi. Je vais dessiner ce château.

Ils remontent alors dans la voiture et vont vers le château. La Renault quitte la route et suit une petite route rustique.

Bientôt ils arrivent à l'entrée du parc du château. Mais elle est bloquée par une grille.

– Vous connaissez ce château? demande Paul.

– Attends, je cherche dans mon *guide,* répond Mireille. Ah, le voilà! C'est le château de Veliziers. Mais le comte de Veliziers est mort, et il y a un homme riche de Marseille qui est aujourd'hui le propriétaire du château.

guidebook

– *Il me semble* que le propriétaire n'est pas au château, dit Paul. Est-ce qu'on peut entrer?

it seems to me

Madeleine hésite. Mais Mireille n'est pas timide. Elle descend de l'auto et va à la grille.

– Nous pouvons laisser la voiture ici, dit enfin Madeleine.

Alors, tous les trois s'avancent vers le château le
long de l'allée sombre. Tout est silencieux. Pas un
oiseau ne chante. Ils entrent dans la cour devant le
château.

– Il y a peut-être des fantômes, dit Paul.

– Arrêtez-vous là! dit une voix menaçante.

Les jeunes gens ont une peur bleue! Deux
hommes sortent de l'ombre sous les arbres.

– Allons! dit le plus grand des deux. Nous allons
vous présenter au patron!

Questions

1. Indiquez les différences entre le petit déjeuner chez les Clavier et chez vous.
2. Qu'est-ce que les jeunes gens apportent à manger?
3. Que voit Paul du bord de la route?
4. Comment est l'entrée du parc?
5. Pourquoi les jeunes gens s'arrêtent-ils?

VI. Le nouveau comte de Veliziers

Il est inutile de protester. Les trois jeunes gens entrent dans le château avec ces deux hommes forts et menaçants.

À l'intérieur, le château est – comme nous le savons déjà – dans une condition déplorable. Les meubles sont ruinés, les murs sont sales.

– On n'a pas de *femme de ménage?* demande Mireille d'une fausse légèreté.

housekeeper

– Silence! répond un des hommes. C'est Guy Biberon, l'acolyte de M. Mazzarin. – Attendez ici. Je vais chercher Monsieur le Comte.

Les jeunes gens attendent dans un petit salon avec l'autre gardien. Après très peu de temps, M. Mazzarin arrive.

– Ah, des visiteurs! dit-il avec une fausse gentillesse. Je suis Henri Mazzarin.

– Euh, excusez-nous, monsieur, dit Madeleine, très poliment. Nous ne voulons pas vous déranger. C'est que notre ami est américain et il veut voir des châteaux. Et puis, votre château est...

– Vous êtes en tout cas ici, sur mes terres, sans ma permission. Et si je décide de téléphoner à la police? La loi est formelle dans ce cas.

– Mais non, monsieur! dit Madeleine. Notre père va être furieux!

– Et qui est-ce, votre père, mademoiselle? demande M. Mazzarin, toujours prudent.

– C'est André Clavier, monsieur, et il est toujours très occupé. C'est le président des TRANSPORTS CLAVIER, à Lyon, dit Mireille.

Les mots de Mireille intéressent M. Mazzarin. Il *devient* plus gentil.   *becomes*

– A-t-il des camions, votre père, demande-t-il.

– Bien sûr, répond Madeleine.

– Ah, je vois. Alors, peut-être que vous tombez ici à un bon moment.

M. Mazzarin regarde ses deux employés.

– Guy, ne téléphone pas à la police. Je crois que ces jeunes gens sont innocents. Va avec eux à l'entrée du parc. Au revoir, mes amis.

Les trois jeunes gens sortent, confus.

– Passe-moi l'appareil, dit M. Mazzarin à l'autre homme. J'ai un travail pour ce M. Clavier.

Questions

1. Est-ce que M. Mazzarin est content d'avoir des visiteurs au château? Pourquoi?
2. Est-ce qu'il pense vraiment téléphoner à la police?
3. Pourquoi le travail de M. Clavier intéresse-t-il M. Mazzarin?

VII. La mission de M. Mazzarin

De retour à l'appartement, les trois jeunes gens retrouvent Mme Bertin dans la cuisine.

– Bonsoir, tout le monde! dit-elle. Asseyez-vous dans le salon. Nous allons dîner dans une demi-heure.

Quelques minutes plus tard, M. Clavier rentre. Il arrive *plus tôt que d'habitude*.

earlier than usual

– Le Comte de Veliziers, un certain Mazzarin, a du travail pour nous, dit M. Clavier. Vous le connaissez, n'est-ce pas, ce M. Mazzarin?

– Euh, oui, Papa, commence Madeleine. Mais je peux tout expliquer...

– C'est ma faute, monsieur, dit Paul.

– Oh, mais, voyez-vous, ce n'est pas grave, dit M. Clavier avec un sourire.

– Le comte n'est pas fâché?

– Mais non. Il a des meubles à transporter, et il n'a pas de camion. C'est de la chance pour nous s'il a mon nom et mon numéro de téléphone.

M. Clavier sourit encore aux jeunes gens. Il est content de l'offre de M. Mazzarin. C'est une grande somme d'argent pour un travail peu difficile. Ces gens riches sont extraordinaires!

– Quand est-ce que tu vas travailler pour ce monsieur, Papa? demande Madeleine.

– Oh, voilà l'inconvénient. Je dois commencer demain, très tôt le matin. Le comte a assez de meubles pour trois voyages, je crois.

– Où est-ce que tu vas transporter ces meubles, Papa? À Marseille? demande Mireille.

– Mais non. Pourquoi est-ce que tu dis Marseille? Nous allons à Bordeaux, Jacques et moi. Monsieur le Comte a une autre maison là.

À ce moment-là, le téléphone sonne. C'est Jacques, l'employé de M. Clavier. Il ne peut pas quitter Lyon. Sa femme est malade.

– Je peux aller avec vous, si vous voulez, monsieur, suggère Paul. C'est une bonne occasion de voir la France comme vous la voyez.

M. Clavier veut bien accepter, mais il ne veut pas déranger les plans de ses filles.

– Oh, ce n'est pas grave, Papa, dit Mireille.

– Et j'aime bien les voyages en camion, monsieur, dit Paul, enthousiaste.

– Alors, Paul, dit M. Clavier, je veux bien que tu m'accompagnes. Il n'y a pas beaucoup de travail. Le comte a ses hommes pour faire le travail le plus difficile. Et puis, après demain, Jacques peut faire les deux autres voyages.

Ce soir-là, pendant que les Clavier et leur invité regardent la télévision et parlent de leur région, il y a beaucoup de commotion au château de Veliziers.

Vers dix heures du soir, le camion Mercedes arrive enfin de Turin. M. Giovanel est de très mauvaise humeur à cause du retard.

– Ugo, Bruno! dit-il. Allez, vite! Déchargez ce misérable camion!

M. Mazzarin dit à ses hommes d'aider les deux Italiens. Puis, lui et M. Giovanel vont dans le château *pour régler leurs comptes*.   *to settle up*

De sa serviette, M. Mazzarin sort un gros paquet. Il le donne à M. Giovanel. Dedans, il y a cent cinquante-deux mille francs.

– Ça, c'est pour le premier chargement, Giovanel, dit M. Mazzarin. Je vais vous donner le reste après l'arrivée des deux autres camions.

M. Giovanel accepte l'argent sans un mot. Il est anxieux. Il veut retourner en Italie avant le matin.

Dans la cour, Bruno fait un faux pas et une des caisses tombe par terre. De la caisse coule un liquide rouge.

Questions

1. Est-ce que M. Clavier est fâché contre ses filles?

2. Pourquoi Jacques ne va-t-il pas avec M. Clavier?
3. Pourquoi est-ce que Paul veut aller avec lui?
4. Qu'est-ce qui se passe au château?
5. Est-ce que le travail de M. Giovanel se paie bien?
6. Quels liquides rouges est-ce que vous connaissez?

VIII. En route vers Bordeaux

Le lendemain, Paul et M. Clavier arrivent très tôt au château de Veliziers. Il est seulement six heures dix quand le camion vert des TRANSPORTS CLAVIER s'arrête dans la cour.

M. Mazzarin regarde l'arrivée du camion de la fenêtre du salon. Son associé, M. Giovanel, est déjà en Italie avec son chauffeur, Bruno. Il doit revenir cet après-midi avec un autre chargement de *meubles*.

À part M. Mazzarin, il y a Guy Biberon, Ugo et un autre homme fort de la bande au château.

M. Mazzarin descend dans la cour pour vérifier le chargement du camion.

– Ah, bonjour, messieurs! dit-il. Vous êtes M. Clavier, je suppose.

– Lui-même, dit M. Clavier, bref. Et c'est ici l'élève américain que vous connaissez déjà.

– Ah, c'est vrai. Bonjour, monsieur.

– Est-ce que vos meubles sont prêts? demande M. Clavier. Il regarde le château avec dégoût.

– Tout est préparé, M. Clavier. Mes employés vont charger le camion tout de suite. Pendant ce temps, venez avec moi dans le salon. Il y a du café. Et puis, nous pouvons régler la question de l'argent que je vous dois.

M. Clavier n'est pas content de quitter son camion. Le chargement d'une voiture *exige* une   requires
direction intelligente. Ce n'est pas pour les début-
ants. Mais M. Mazzarin insiste. Donc, M. Clavier
et Paul ne voient pas les caisses de *meubles* qui vont
dans le camion.

Quand ils sortent de nouveau du château, M.
Clavier porte dans la poche de sa veste les trois
mille francs offerts par M. Mazzarin. *C'est une
bonne affaire,* pense-t-il.

Guy Biberon et Ugo attendent près de la portière
gauche du camion.

– Notre domicile à Bordeaux n'est pas facile à
trouver, dit M. Mazzarin. Alors, je vais envoyer ces
deux hommes avec vous.

– Mais dans la cabine, il n'y a pas assez...

– Non, non, M. Clavier. Ugo et Guy vont conduire une de mes autos. Vous allez simplement
suivre mes employés. Rien de plus simple, hein?

Paul note un ton sinistre dans la voix de M. Mazzarin quand il prononce ces mots.

Alors, la Citroën grise quitte le château et le
camion vert la suit. De Meyzieux-Lyon à Bordeaux, il y a une distance de cinq cent soixante
kilomètres. M. Clavier pense passer peut-être
douze heures sur la route si la circulation n'est pas
trop difficile.

On traverse Lyon et on prend une route qui
traverse Feurs, Boën et Thiers. On arrive – après
cent onze kilomètres – à Clermont-Ferrand.

Paul est ravi du voyage. Il voit beaucoup de petits
villages, de fermes, de forêts – toute la richesse et la
diversité de la Belle France.

Après Clermont-Ferrand, M. Clavier décide
qu'il a faim. Quand il voit un *oasis* à côté de la

route, il fait signe aux gens dans la Citroën avec ses *phares*. Le petit convoi s'arrête dans le parking d'un restaurant routier.

headlights

– Qu'est-ce qu'il y a? demande Guy Biberon.

– Oh, il n'y a pas de difficulté, répond M. Clavier. C'est que j'ai faim. Je veux prendre une omelette ou quelque chose.

– Nous sommes pressés, dit Ugo, nerveux.

M. Clavier et Paul ne comprennent pas la réaction des employés de M. Mazzarin. D'habitude, les camionneurs sont contents de faire la pause.

– Alors, je *serai* bon prince, dit M. Clavier. Venez manger à mon compte. Ça va mieux, hein?

I'll be

Les deux hommes acceptent *à contre-coeur*. Guy et Ugo s'asseyent en face de la fenêtre et ne quittent pas le camion des yeux.

half-heartedly

Après le repas, dans le parking, M. Clavier fait le tour de son camion. Il est prudent.

– Il y a quelque chose dedans qui fait du bruit, dit-il quand il ouvre une des portes.

Ugo et Guy font un geste pour arrêter M. Clavier, mais il est trop tard. Une caisse tombe du camion et s'arrête sur le macadam avec un bruit de bouteilles ruinées.

Tous les quatre restent un instant immobiles. Puis, M. Clavier met un doigt dans le liquide rouge qui coule de la caisse. Quand il lève les yeux, il regarde dans le canon d'un revolver.

– Remontez dans le camion, mes amis, dit Guy Biberon, très dur. On nous attend à Bordeaux.

Questions

1. Bordeaux est à quelle distance de Lyon?
2. Pourquoi M. Clavier veut-il s'arrêter en route?
3. Pourquoi les deux autres ne sont-ils pas contents?
4. Qu'est-ce qu'il y a dans les caisses?

IX. Le secret du château

Il est six heures du soir. Mireille et sa soeur sont dans le salon de leur appartement.

– Tu sais, Mireille, dit Madeleine, je n'aime pas ce M. Mazzarin. Il y a quelque chose qui...

– Allons au château alors, dit Mireille. Comme ça, nous pourrons découvrir quelque chose.

Alors, Madeleine et Mireille montent dans la voiture et vont au château. Elles s'arrêtent à l'entrée du parc.

– Regarde, Madeleine! Il y a un camion là!

27

– Attends-moi ici, Mireille. Je vais voir *ce qui se* what's going on
passe.

Naturellement, Mireille n'attend pas. Elle va avec sa soeur, silencieusement.

Les filles se cachent sous un arbre. Elles voient des hommes dans la cour.

Est-ce que quelqu'un déménage ici? Mais non! C'est *une étape* sur la route du marché noir des stopover
vins. Écoutez M. Giovanel:

– Rien de plus simple, hein? On achète du vin inférieur en Italie ou en Yougoslavie. On met ces bouteilles dans des caisses. On fait entrer ces caisses en France – sans troubler les douaniers.

– Oui, répond M. Mazzarin. Puis on met une étiquette qui parle du vin de Bordeaux sur chaque bouteille, et on peut vendre le vin à un bon prix.

– Disons, mon cher Mazzarin, que c'est un travail intéressant et aussi lucratif!

Les deux hommes rient. M. Mazzarin verse encore du Cognac dans le verre de M. Giovanel.

Les deux filles comprennent enfin le travail de M. Mazzarin. Elles comprennent aussi que leur père et Paul sont en danger!

– Nous allons directement à la police, et nous allons dire toute la vérité! dit Madeleine.

Questions

1. Pourquoi est-ce que Madeleine est troublée?
2. Quel est le travail de Mazzarin et de Giovanel?
3. Pourquoi M. Clavier et Paul sont-ils en danger?

X. Bordeaux

Le camion de M. Clavier est tout près de Bordeaux. Il est sept heures du soir.

M. Clavier conduit toujours. Paul est à côté de lui. À droite de Paul il y a Guy Biberon. Devant le camion, Ugo conduit la Citroën grise.

Dans le camion, M. Clavier pense à une ruse.

– *Zut!* dit-il soudain.

– Qu'est-ce qu'il y a? demande Guy Biberon.

– Je crois que nous avons un pneu crevé.

– Si vous pensez que…, commence Biberon.

– Ou j'arrête le camion pour vérifier les pneus, ou nous tombons au bord de la route dans quelques minutes, dit M. Clavier calmement.

– Arrêtez le camion là-bas, dans ce parking. Et faites signe à Ugo avec vos phares.

Le camion s'arrête près d'un restaurant. Ugo, dans l'auto s'arrête un peu en avant. M. Clavier ouvre sa portière et commence à descendre.

– Pousse-le de ton pied, Paul! dit-il à voix basse quand il s'arrête de descendre.

Paul comprend. Biberon ouvre sa portière. Il veut regarder M. Clavier. Au moment où il descend, Paul le frappe de son pied – mais fort! – dans le dos. Biberon, déséquilibré, tombe du camion.

– Referme la portière! crie M. Clavier.

Ugo ne comprend pas. Il sort de l'auto. Le camion démarre et roule de plus en plus vite.

– Rattrape-les, imbécile! crie Biberon à Ugo. Les deux contrebandiers commencent la poursuite!

Le camion traverse la Dordogne. La Citroën des contrebandiers est à trois cents mètres derrière le camion. M. Clavier double quelques autos lentes. Ugo les double aussi.

– Attention, M. Clavier! crie Paul. Il y a un *virage* juste devant nous!

turn, curve

C'est vrai! La route tourne soudain à gauche. M. Clavier continue aussi vite que possible. Le camion tient la route. Paul a les yeux fermés.

Mais qu'est-ce que c'est? Juste devant M. Clavier et Paul il y a trois voitures de police qui bloquent la route! M. Clavier arrête le camion juste à temps. Paul ouvre encore les yeux.

Maintenant, l'auto des contrebandiers apparaît. Ugo voit les voitures de police et il veut retourner l'auto, mais il est trop tard. La Citroën quitte la route et *fait des tonneaux* sur le bord. Elle s'arrête enfin contre un arbre. Ugo et Biberon sortent et marchent à pas peu sûrs dans les bras des policiers.

rolls over

– M. Clavier? demande un policier. Je suis
l'inspecteur Moulin.

– Mais…comment est-ce que vous savez mon
nom. Et qu'est-ce que vous faites ici?

– Ce sont vos filles, monsieur, dit l'inspecteur.
La police de Lyon transmet leurs informations tout
le long de votre route.

– Vous savez alors qu'il est question de vin de
contrebande? demande M. Clavier.

– Oui, et nous savons aussi que vous êtes simplement la victime des plans diaboliques de ces
contrebandiers.

– Bon, dit M. Clavier. Et qu'est-ce que nous devons faire maintenant?

– Venez donc avec nous au commissariat. Après quelques formalités, vous êtes libres.

– Alors, Paul, dit M. Clavier, nous allons dîner à Bordeaux. Après, nous allons trouver peut-être un chargement pour Lyon! Je n'aime pas perdre mon temps.

Paul rit. Cette aventure est enfin terminée. Il va chercher une carte postale de Bordeaux pour M. Kelly. Quelle surprise pour lui!

Questions

1. À quelle ruse est-ce que M. Clavier pense?
2. Comment est-ce que Paul aide M. Clavier?
3. Qu'est-ce qu'il y a après le virage?
4. Qu'est-ce qui arrive aux contrebandiers?
5. Est-ce que la police arrête M. Clavier?

Note de Fred Kelly:

Une carte postale de Bordeaux d'un élève qui doit être à Lyon: voilà encore une surprise pour moi! Et puis, je viens de lire dans le journal que deux autres élèves s'amusent sur la Côte d'Azur!

Vocabulaire

A

à **contre-coeur** half-heartedly *3, VIII*
à **côté de** next to *1, I*
à **la Chantilly** with whipped cream *1, X*
à **l'arrière** towards the rear, *1, III*
à **qui** whose *1, VII*
à **quoi** to what *1, X*
à **temps** in time *2, VI*
à **travers** across *3, a-p*
l' **accueil** (m) welcome *4, I*
accueillant(e) hospitable *4, VIII*
acheter to buy *1, VI*
l' **acolyte** (m) side-kick, helper *3, II*
l' **aéroport** (m) airport *1, I*
l' **affiche** (f) sign *1, II*
l' **agence** (f) agency *1, IV*
l' **agent** (m) policeman *1, VII*
agréable pleasant, welcome *4, X*
l' **aide** (f) help *2, IX*
ajouter to add *2, VII*
l' **allée** (f) driveway *2, II*
l' **aller-retour** (m) round trip *2, I*
s' **allonger** to stretch out *4, X*
allons-nous-en let's get out of
   here *4, IV*
alors at that time *2, I*
amener to bring someone to *3, I*
amusez-vous bien have a good
   time *2, V*
l' **ancre** (f) anchor *4, VIII*
animé(e) lively *3, I*
l' **année** (f) a year *1, a-p*
l' **apéritif** (m) before-dinner drink *1, I*
apparaître to appear *3, X*
l' **appareil** (m) apparatus, equipment
   1, VIII
s' **appeler** to be named *1, a-p*
   (je m'appelle)
apprendre to learn *3, IV*
s' **approcher de** to come near to *1, VIII*
après after *1, II*
l' **arbre** (m) tree *2, II*
l' **argent** (m) money *1, VIII*
l' **armoire** (f) wardrobe *1, V*
l' **arrêt** (m) (bus) stop *2, II*
arrêté(e) stopped *2, III*
arrêter to arrest *1, II*
l' **arrivée** (f) arrival *1, IV*
s' **arrêter** to stop *1, II*
l' **ascenseur** (m) elevator *3, III*
s' **asseoir** to be seated *3, II*
assez enough *2, III*
assis(e) seated *1, II*
l' **associé** (m) colleague *3, VIII*
assurer to watch over *3, VIII*
attendez wait a minute *1, I*
attendre to wait for *1, VI*
atterrir to land *1, IV*
au-dessus de above *1, III; 4, II*

aujourd'hui today *1, I*
aussi also *1, I*
aussi...que as...as *1, VII*
l' **autocar** (m) bus *1, IV*
autour de around *2, VI*
l' **autoroute** (f) highway *4, I*
autre other *1, I*
l' **auxiliaire** (m) helper, assistant *4, X*
s' **avancer** to go forward *3, V*
l' **avant-propos** (m) foreword *1, a-p*
avertir to warn *4, V*
l' **avion** (m) airplane *1, I*

B

le **bagage à main** hand luggage *1, IV*
le **baiser** kiss
   donner un baiser to kiss *4, IX*
le **balcon** balcony *3, III*
la **bande** group, gang *1, II*
la **banlieue** suburbs *2, I*
la **banquette** (car) seat *2, VII*
le **bateau** boat *1, VI*
   bateau à voiles sailboat *4, II*
   faire du bateau to go boating *4, II*
le **bâtiment** building *1, VI*
battre to beat *2, VIII*
beau handsome, beautiful *1, II*
   il fait beau the weather is fine *2, V*
beaucoup de a lot, many *1, I*
la **beauté** beauty *3, V*
la **belle-mère** mother-in-law *2, II*
besoin need
   avoir besoin de to need *4, X*
bien sûr of course *1, I*
bientôt soon *3, V*
bienvenue welcome *1, IV*
la **bière** beer *4, III*
le **billet** ticket *1, I;*
   banknote, bill *2, IV*
blasphémer to curse *2, VIII*
bloquer to block, to bar *1, II*
bof! ha! *2, V*
le **bois** woods *2, III*
   en bois wooden *4, III*
la **boisson** beverage *1, III*
   boisson gazeuse soda *1, III*
boivent (boire) drink *1, VI*
bonsoir good evening *1, I*
le **bord** edge *1, II*
la **bouche** mouth *1, VI*
la **bouée** buoy *4, II*
la **bouée de sauvetage** life
   jacket *4, II*
bouger to move *2, VI*
bourgeois(e) middle-class *3, a-p*
le **bout** end *1, IV*
la **bouteille** bottle *2, V*

le **bras** arm *1, II*
le **break** station wagon *4, I*
bref curt, brief *3, VIII*
briller to shine *2, II*
la **brioche** breakfast roll *3, V*
bronzé tanned *4, I*
le **bruit** noise *2, VI*
brun brown *1, I*
le **bureau** study (room) *3, III*
aux bureaux at the counter *1, I*
le **buste** head and shoulders *2, IV*
buvez (boire) drink *4, IV*

C

ça coûte cher that's expensive *1, I*
ça vous convient? it that okay? *1, V*
la **cabine** (truck) cab *3, I*
la **cabine téléphonique** telephone
booth *1, VIII*
caché hidden *4, VIII*
se **cacher** to hide *2, VI*
la **cachette** hiding place *2, V*
le **cadeau** gift *1, I*
le **café-crème** coffee with milk *1, X*
la **cafetière** coffee pot *3, V*
la **caisse** crate *3, II*
le **cambouis** grease, sludge *3, IV*
le **camion** truck *3, a-p*
la **campagne** countryside *2, II*
le **canal** channel *1, III*
le **canapé** sofa *3, III*
le **canon** (gun) barrel *3, VIII*
le **canot** dinghy *4, IX*
le **cap** cape, headland *4, VIII*
le **capot** (engine compartment) hood *3, II*
le **car** bus *1, VI*
le **caractère** personality *2, IX*
le **carrefour** crossroads *4, V*
la **carte d'identité** national identity
card *4, IV*
la **carte postale** postcard *2, X*
le **cas** case, affair *3, VI*
le **casse-croûte** snacks *1, III*
la **ceinture** belt
la ceinture de sauvetage lifebelt
4, VII
célèbre famous *1, VI*
des **centaines** hundreds *2, VI*
la **centrale (nucléaire)** (nuclear)
reactor *4, IX*
la **chaîne** chain *3, V;*
stereo components *4, II*
la **chambre** bedroom *3, III*
le **champ** field *2, V*
le **champignon** mushroom *2, X*
la **chance** luck *1, VIII*
chanter to sing *2, VIII*
chaque each *1, III*
le **chargement** load *3, VII*
charger to load up *3, II*

le **chariot** cart *1, I*
charmant charming *4, I*
le **château** castle *3, IV*
chaud hot *4, II*
le **chef** leader *2, IV*
la **chemise** shirt *3, V*
cher dear *2, I;* expensive *4, V*
chercher to look for
le **cheval** horse *2, III*
les **cheveux** (m) hair *1, I*
chic fashionable *3, III*
choisir to choose *2, III*
le **choix** choice *2, I*
chut! sh! *2, VI*
le **cidre** cider *2, III*
le **ciel** sky *1, II*
la **circulation** traffic *1, VIII*
le **citron** lemon *4, III*
clair light, bright *4, I*
la **clé** key *1, V*
le **clignotant** turn signal *4, V*
le **cochon** pig *2, II*
le **coffre** (car) trunk *2, IX*
le **coin** corner *1, VIII*
le **col** mountain pass *3, II*
le **collègue** colleague *3, IV*
la **colline** hill *3, III*
combien how much/many *2, IV*
commander to order *2, X*
comme as, like *1, VI*
comme ça like that *1, III*
comme on dit as they say *1, VI*
comment how; what is ___ like *1, I*
comment plaire how to please *1, VI*
comment se fait-il que how does it
happen that *4, II*
le **complet** (man's) suit *3, II*
composer (un numéro) to dial *1, VIII*
comprend (comprendre) understands
1, II
le **compte** account
faire les comptes to do the
accounting *3, III*
à mon compte my treat *3, III*
le **comptoir** counter *1, IV*
le **comte** count (nobleman) *3, V*
conduire to drive *2, IX*
la **connaissance:**
sans connaissance unconscious
2, IX
le **conseil** advice *1, I*
content happy *1, I*
contre against *3, X*
la **contrebande** smuggling *3, a-p*
le **contrebandier** smuggler *3, II*
le **contrôleur** conductor *1, VIII*
convenable suitable *4, VII*
le **convoi** convoy *3, VIII*
la **corde** rope *4, VII*
la **correspondance** transfer point *1, IX*
la **côte** coast
la Côte d'Azur the Riviera *4, a-p*

le **côté** side *4, VIII*
le **coucher du soleil** sunset *3, II*
couler to flow *3, VII*
le **couloir** hallway *1, II*
le **coup de téléphone** telephone call *1, IX*
la **coupe** several dips of ice cream *1, X;* champagne glass *4, IV*
coupé cut *4, VI*
la **cour** courtyard *2, II*
courir to run *1, VI*
le **cours** (school) course *1, VI*
les **courses** (f) errands
faire des courses to go shopping *2, X*
court short *4, VI*
coûter to cost *4, IV*
la **coutume** custom *3, III*
creuser to dig *4, VIII*
crevé flat (tire) *3, X*
crier to shout
le **croissant** buttery flaky roll *2, I*
croit (croire) believes *1, IV*
la **cuisinière** kitchen stove *3, V*

D

d'abord at first *1, VII*
d'accord okay *2, II*
être d'accord to agree *1, V*
le **débarquement** disembarcation *1, IV*
débarrasser to clear away *4, III*
debout standing *2, III*
le **début** beginning *1, a-p*
le **débutant** beginner *3, VIII*
la **décision:**
prendre la décision to make a decision *4, IV*
découvrir discover *2, VI*
dedans inside *1, IV*
défaire les valises to unpack *1, V*
défendu forbidden *4, III*
le **dégoût** disgust *3, VIII*
le **déguisement** disguise *1, X*
déjà already *1, VIII*
le **déjeuner** lunch *1, VI*
demander to ask *1, IV*
démarrer to start up *1, VI*
le **déménagement** moving *3, II*
déménager to move (furniture) *3, IX*
la **demoiselle** young lady *1, V*
la **dent** tooth *4, I*
départemental local *2, III*
se **déplacer** to move away *4, VII*
dérangé in disorder *1, VII*
le **dérangement** annoyance *1, X*
dernier (dernière) last *1, VI*
derrière behind *1, I*
déséquilibré off balance *3, X*
le **dessin** sketch *1, a-p*
dessiner to draw *3, V*

devant in front of *1, II*
devenir
il devient he becomes *3, VI*
d'habitude usually *1, X*
difficile difficult *4, I*
disent (dire) say *1, II*
disparaît disappears *1, III*
distingué distinguished *3, II*
le **doigt** finger *2, III*
dois (devoir) have to *1, IX;* owe *3, VIII*
le **domaine** property *3, IV*
le **dommage** a shame *2, IV*
donc then, so, thus, therefore *3, IV*
donner to give
donner un film to screen a movie *1, III*
donner sur to open on *1, V*
dormir to sleep *3, III*
le **dos** back *2, IX*
le **dossier** file (folder) *1, IX*
la **douane** customs *1, IV*
le **douanier** customs' officer *1, IV*
doubler to pass (cars) *3, X*
douce (f) sweet, easy *4, III*
doucement softly *2, IX*
droit:
tout droit straight ahead *4, V*
drôle funny *1, X*
dur hard *3, III*

E

l' **eau** (f) water *3, V*
échapper to escape *1, VIII*
éclater de rire to burst out laughing *4, II*
l' **école** (f) school *2, II*
l' **écolier** (m) student *1, IV*
écouter to listen *1, I*
l' **écouteur** (m) earphone *1, III*
écrire to write *4, X*
effrayé(e) scared *4, V*
l' **église** (f) church *1, IX*
l' **élève** (m/f) pupil *1, a-p*
l' **embarquement** (m) boarding *1, II*
embrasser to kiss *4, I*
en colère angrily *4, VI*
enchanté(e) nice to meet you *2, I*
encore again, still
l' **endroit** (m) place *1, VI*
énergique energetic *3, III*
l' **enfance** (f) childhood *2, VIII*
l' **enfant** (m/f) child *1, I*
enfin at last *1, II*
ennuyeux boring *4, VII*
énorme huge *1, II*
ensoleillé sunny *4, III*
ensuite afterwards *2, IX*
entendre to hear *1, III*
enterré buried *4, VIII*

35

entre between *1, IV*
l' **entreprise** (f) business *3, III*
entrer to enter *1, IV*
envoie (envoyer) sends *3, III*
l' **épaule** (f) shoulder *3, III*
l' **équilibre** (m) balance *4, VII*
l' **escale** (f) stopover *1, III*
l' **escalier** (m) stairway *3, III*
l' **espèce** (f) species
espèce de... you dirty... *2, VII*
l' **esprit** (m) mind, spirit *1, IX*
essayer to try *1, V*
il essaie he tries *1, V*
et ainsi de suite and so on *4, III*
l' **étable** (f) stable *2, III*
l' **étage** (m) floor *3, III*
l' **étape** (f) stopover *3, IX*
éternuer to sneeze *2, VI*
l' **étiquette** (f) label *3, IX*
étonné astonished *1, VIII*
étrange strange *1, VII*
l' **étranger** (m) foreigner *3, I*
eux them *1, VIII*
éventuel possible *1, IX*
évidemment obviously *4, VI*
s' **excuser** to excuse oneself *1, III*
exiger to require *3, VIII*
expliquer to explain *1, V*

F

la **face** front
faire face à to face *4, II*
fâché angry *3, VII*
la **façon** fashion, manner *3, II*
la **faim** hunger
avoir faim to be hungry *1, VI*
faire des tonneaux to roll over *3, X*
faire la vaisselle to do the
dishes *4, III*
faire une promenade (à cheval) to go
horseback riding *2, III*
le **fantôme** ghost *3, V*
fatigué tired *1, V*
fausse (f) false *1, IX*
il **faut** it is necessary *4, X*
la **faute** fault *1, VI*
le **fauteuil** armchair *1, V*
faux (m) false
la **femme de ménage** housekeeper *3, VI*
la **ferme** farm *2, a-p*
fermé à clé locked *1, VI*
fermer à clé to lock *2, IX*
la **fête** festival *4, III*
la **fibre de verre** fiberglass *4, VII*
fier (fière) proud *4, V*
la **fille** daughter, girl *1, III*
le **fils** son *2, I*
fini finished *2, IV*
la **flèche** arrow *4, IV*
la **fois** time, occasion *1, VI*

la **folie** madness
en folie stampeding *2, VIII*
le **fond** bottom
au fond de at the other end *4, II*
la **forêt** forest *3, VIII*
formel (le) strict *3, VI*
formidable really great *1, a-p*
fort strong *2, IV*
fortuné fortunate *4, a-p*
fou (folle) crazy *1, II*
le **foyer** lobby *1, VII*
frais fresh *2, V;* chilled *4, IV*
frapper to strike *4, II*
frit fried *4, III*
les **frites** (f) French fries *2, X*
froid cold *2, IX*
le **fromage** cheese *1, III*
le **front** forehead *2, VI*
la **frontière** border *3, II*
furieux angry *1, III*

G

garder to keep *4, IV*
la **gare** railroad station *2, I*
le **gâteau** cake *1, III*
gêner to bother, annoy *4, VIII*
le **genou** knee *2, VIII*
les **gens** (m) people *1, VIII*
gentil nice *1, V*
la **gentillesse** kindness *3, VI*
gentiment politely, calmly *1, VII*
le **geste** gesture *1, VII*
gigantesque gigantic *1, II*
la **glace** ice cream *1, III*
le **gorille** bodyguard *2, IV*
grave serious *1, V*
la **grille** gate *2, VIII*
gris(e) grey *2, III*
gros fat, massive *2, VII*
le **guichet** ticket-window *1, VI*
le **guide** guidebook *3, V*

H

l' **habitant** (m) inhabitant *2, II*
habiter to live in *1, a-p*
les **habits** (m) clothing *1, VII*
hausser to raise
hausser les épaules to shrug the
shoulders *1, IV; 3, IV*
haut high *1, III*
haut les mains! stick 'em up! *4, VIII*
le **héros** hero *1, a-p*
heureux happy *3, I*
hier yesterday *2, V*
l' **histoire** (f) story *2, a-p*
l' **homme** (m) man *1, I*
honnête honest *3, II*
l' **hôte** (m) host *2, I*
l' **hôtel** (m) **de ville** city hall *1, VI*

l' **hôtesse de l'air** (f) stewardess *1, II*
l' **humeur** (f) mood *3, VII*
  hurler to howl *1, II*

I

l' **idée** (f) idea *2, III*
  il y a there is/are *1, I*
l' **île** (f) island *4, IV*
l' **immeuble** (m) apartment
    building *3, III*
  immobile unmoving *3, VIII*
l' **inconvénient** (m)
    disadvantage *3, VII*
  incrédule unbelieving *4, III*
  indiquer to point out *2, III*
  inquiet upset *2, IX*
à l' **instant** at the moment *4, I*
  inutile useless
l' **invité** (m) guest *3, I*

J

la **jambe** leg
  de toutes ses jambes running as
    fast as possible *2, VII*
le **jambon** ham *2, V*
  jeter un coup d'oeil sur (il jette)
    to take a look at *4, X*
  jeune young *2, I*
les **jeunes gens** (m) teenagers *2, III*
  joli(e) pretty *2, IV*
  jouer un tour to play a trick *1, X*
le **jour** day *2, VI*
le **journal** newspaper *2, X*
la **journée** daytime *2, III*
  juillet July *1, I*

L

  là-bas over there *2, III*
le **lac** lake *1, III*
  lâcher to let go of *1, IV*
la **laine** wool *2, X*
  laisser to leave *2, I*
le **lavabo** wash stand *1, V*
  léger (légère) light(weight) *4, II*
la **légèreté** lightness,
    lightheartedness *3, VI*
le **légume** vegetable *2, III*
le **lendemain** the next day *4, VIII*
  lent slow *3, X*
  lentement slowly *1, II*
  lève (lever) raises *1, III*
se **lever (il se lève)** to get up *3, V*
le **levier** lever *4, VII*
  libéré liberated, released *4, II*
  libre free *3, III*
  lit (lire) reads *1, VIII*
le **lit** bed *1, V*
la **livraison** baggage pick-up *1, IV*
la **loi** law *3, VI*
  loin far *2, IV*

le **loup** wolf *1, II*
  lourd heavy *2, VI*
  lucratif profitable *3, IX*
  lui-même himself *1, V*
les **lunettes** (f) glasses *4, I*
    lunettes de soleil sunglasses
  lyonnais of Lyon *3, III*

M

le **macadam** paving material *3, VIII*
le **maillot** bathing suit *4, III*
  maintenant now *1, VIII*
le **maire** mayor
la **mairie** mayor's office *2, II*
  mais non of course not *1, I*
le **mal** evil, sickness *2, VII*
  avoir mal to be ill *2, VII*
  malade ill *3, VII*
la **marchandise** merchandise, cargo *3, II*
le **marché** market *3, IX*
en **marche:**
    mettre en marche to start up (a car)
    2, IX
  marcher:
    faire marcher to run (an engine)
    4, VIII
le **mât** mast *4, VII*
le **matin** morning *2, V*
  mauvais bad *3, II*
  mécanique mechanical *3, IV*
  méchant nasty *2, VIII*
  meilleur better
    le meilleur best *2, III*
  même even *2, VII;* same *2, VIII*
  menaçant menacing, threatening *3, V*
  mener à (il mène à) to lead to *2, II*
  mettez (mettre) put *1, I*
les **meubles** (m) furniture *1, VII*
le **mécanicien** (train) engineer *1, VIII;*
    mechanics *3, II*
le **Midi** the South *2, a-p*
  mielleux(−se) bland *1, III*
  mieux better
    ça va mieux that's better *3, VIII*
le **milieu** center *2, IX*
  moins less, minus *2, I*
le **monde** world *1, II*
    beaucoup de monde a lot of
      people *1, IV*
    tout le monde everyone *1, V*
    peu de monde few people *1, VIII*
  monter dans to get into/on *1, II*
  montrer to show *1, III*
le **morceau** piece *1, III*
  mort dead *2, IV*
le **mot** word *2, I*
le **mouton** sheep *2, VIII*
le **mur** wall *1, II*
le **mystère** mystery *2, III*

N

nager to swim *4, II*

la **nappe** tablecloth *3, V*

naturellement understandably *1, I*

ne...personne nobody *2, I*

ne...plus no longer *1, X*

+a **niche** resting place *2, VI*

le **nid** nest

les **nids de poule** potholes *2, VIII*

le **nord** north *4, a-p*

normand(e) Norman, of Normandy *2, a-p*

de **nouveau** once again *3, VIII*

la **nuit** night *3, II*

O

l' **oasis** (m) truckstop *3, VIII*

obéissent (obéir) obey *4, IX*

obtenir to obtain *4, IX*

l' **occasion** (f) chance *2, IV*

occupé busy *3, I*

l' **oeil** (m) eye *2, V*

l' **oignon** (m) onion *2, IV*

l' **oiseau** (m) bird *1, II*

l' **ombre** (f) shadow *3, V*

l' **omnibus** (m) local train *2, I*

l' **or** (m) gold

d'or golden *3, II*

l' **otage** (m) hostage *4, X*

OTAN NATO *1, IX*

ou or *1, III*

où where *1, I*

oublié forgotten *2, VIII*

oublier to forget *1, IV*

a oublié forgot *4, IV*

l' **ouest** (m) west *3, II*

ouvert(e) open(ed) *1, VI*

P

le **pain** bread *1, III*

le **palais** palace *1, VI*

le **panier** basket *3, V*

le **panneau** panel, sign *3, I*

le **paquet** package *2, III*

par hasard by chance *4, V*

par ici this way *2, VI*

parfaitement perfectly *3, III*

le **parking** parking lot *3, III*

la **parole** speech *4, IV*

partir to leave *2, I*

partout all over, everywhere *1, I*

le **pas** footstep *3, VII*

un faux pas a misstep *3, VII*

pas de quoi you're welcome *2, V*

pas du tout not at all *1, VI*

pas mal de quite a few *4, IX*

passer to spend (time) *1, IV*

se **passer** to happen *1, III*

ce qui se passe what's going on *3, IX*

la **passerelle téléscopique** extendible

passageway *1, IV*

le **patron** owner *1, V;* boss *2, IV*

pauvre poor *2, VII*

payer to pay

a déjà payé has already paid *4, IX*

le **pays** country *2, II*

le **paysage** countryside *4, I*

la **pêche** fishing *2, IV*

pendant que while *4, II*

à **peine** scarcely *2, VI*

peint painted *4, VIII*

la **pelle** shovel *2, III*

penser to think

perché perched *4, II*

perdre to lose *3, X*

perdu lost *4, IV*

les **petits pois** (m) peas *1, III*

peu de temps a short while *1, IV*

la **peur** fear

avoir peur to be afraid *1, X;*

avoir une peur bleue to be scared stiff *3, V*

peut-être perhaps *1, V*

les **phares** (m) headlights *3, VIII*

la **pièce** coin *1, VIII;* room *3, III*

le **pied** foot *2, IX*

le **piège** trap *4, IX*

piquer to stimulate *4, IV*

la **piste** runway *1, II;* path *4, X*

le **plafond** ceiling *4, II*

la **plage** beach *4, I*

la **planche** board *4, VII*

le **plancher** floor *1, VII*

le **plat principal** main course *1, III*

le **plateau** platter *4, III*

plein(e) full *2, I*

pleurer to cry *1, VII*

plonger to dive *4, VII*

plouf! splash! *2, VI*

plus: ne...plus no longer *1, X*

plutôt rather, instead *4, VI*

le **pneu** tire *2, V*

les **pneus de caoutchouc** rubber tires *1, VIII*

la **poche** pocket *3, VIII*

le **poing** fist *4, X*

la **poire** pear *2, IV*

le **poisson** fish *4, III*

le **policier** policeman *1, X*

poliment politely *3, VI*

la **pomme de terre (passée en purée)** potato (mashed) *1, III*

le **pommier** apple tree *2, II*

la **porte à coulisse** sliding door *4, II*

la **portière** car door *1, X*

poser (une question) to ask *2, I*

la **poule** hen *2, II*

pourquoi why *1, III*

la **poursuite** pursuit *3, X*

pousser to push *2, VI*

la **poussière** dust *2, VIII*

pouvoir to be able

je ne peux pas I can't *1, V*

pratiquer to practice *2, III*
la **préfecture** police station *2, IX*
prennent (prendre) take *1, II*
près de near *1, V*
(de) près closely *4, VI*
se **présenter** to introduce oneself *2, II*
presque almost *4, V*
pressé in a hurry *3, VIII*
prêt ready *1, IV*
    prêt à porter off the rack,
    ready to wear *3, II*
le **prince:**
    être bon prince to be
    generous *3, VIII*
pris dans le piège trapped *4, IX*
privé private *4, I*
le **prix** price
la **promenade** ride, walk *2, III*
promettre to promise *1, IX*
propre clean *1, V*
puis and then *1, II*
puisque since *4, VI*

Q

le **quai** street next to the Seine *1, VI;*
    subway platform *1, VIII*
quand when *1, IV*
une **quarantaine** about forty *4, III*
le **quart** quarter *2, I*
quel(le) which one *1, I*
quelque some *1, III*
quelquefois sometimes *2, III*
qu'est-ce qui arrive what's going
    on? *1, VII;* what happens *3, II*
quitter to leave *1, VII*

R

le **raisin** grape *2, IV*
la **raison** reason
    avoir raison to be right *2, VI*
ramper to crawl *4, X*
se **rappeler** to remember *1, VII*
    te rappelles-tu do you
    remember *1, VII*
rapporter to bring back *2, V*
raté botched up *4, VI*
rattacher to connect *3, II*
rattraper to recapture *2, VII*
ravi delighted *1, VI*
la **réception** check-in desk *1, V*
reçoit (recevoir) receives *1, II*
la **récompense** reward *2, X*
reconnaître to recognize *4, IV*
redescendons (redescendre)
    let's go back down *1, VI*
regagner to retrieve *2, VIII*
régler to put in order *3, VIII*
    régler leurs comptes to settle
    up *3, VIII*
remercier to thank *1, V*
remet (remettre) puts back *1, III*
rencontrer to meet *3, I*

le **rendez-vous** meeting *1, IX*
la **rêne** rein *2, IX*
le **repas** meal *2, IV*
le **repos** rest *1, VI*
se **reposer** to rest *1, VI*
le **requin** shark *4, VII*
    respirer to breathe *4, X*
rester to stay *1, I*
en **retard** late *3, III*
retient (retenir) holds back
se **retourner** to turn around *4, II*
retrouver to run into *3, VII*
la **réunion** meeting *2, III*
le **rêve** dream *4, a-p*
rêver to dream *4, II*
le **rez-de-chaussée** ground floor *1, V*
rien nothing *2, V*
    rien ne manque nothing is
    missing *1, VII*
rit (rire) laughs *1, III*
la **rivière** stream *2, IV*
la **robe** dress *4, IV*
    robuste chubby *3, I*
le **rocher** boulder *2, VI*
le **rôti de veau** roast of veal *1, III*
rouler to roll *1, II*
routier along the highway *3, VIII*
ruiné(e) ruined, smashed *2, VI*
la **ruse** trick *1, I*
    rusé sly, clever *3, II*
rustique country-style *3, III*

S

le **sable** sand *4, VIII*
la **sacoche** saddlebag *2, VI*
saisir (il saisit) to seize *1, VIII*
sale dirty *2, IV*
la **salle à manger** dining room *3, III*
le **salon** living room *3, III*
saluer to greet *3, V*
salut hi! *1, I*
sans without *2, VII*
sauter to jump *2, IV*
sauvage savage *3, II*
sauver to save *2, VIII*
savent (savoir) know *1, II*
scintillant sparkling *4, II*
le **secours** rescue *2, VIII*
la **semaine** week *2, IV*
sembler to seem
    il me semble it seems to me *3, V*
serai (être) I shall be *3, VIII*
serrer (la main) to shake (someone's
    hand) *3, III*
le **serrurier** locksmith *1, VII*
la **serviette** briefcase *3, VII;*
    napkin *4, III*
seul alone *1, III*
sévère harsh *4, IX*
le **siège** bucket seat (car) *2, VII*
Signor Monsieur *3, IV*
silencieux quiet *2, IV*

39

le **ski nautique** water skiing *4, VII*
le **slip** (man's) bathing suit *4, II*
la **soeur** sister *1, I*
le **soir** evening *1, IX*
le **soleil** sun *2, II*
  sombre dark *1, VIII*
la **somme** sum, amount *3, II*
le **sommeil** sleep
    avoir sommeil to be sleepy *3, V*
le **sommet** summit *1, VI*
la **sortie** exit *1, IV*
  soudain suddenly *1, I*
  souffler to blow *4, VII*
le **soulier** shoe *3, V*
le **sourire** smile *3, VII*
  sourit (sourire) smiles *1, III*
  souvent often *2, II*
le **stratagème** trick *2*, VIII
  stupéfait dumbstruck *1, VII*
  subitement suddenly *4, I*
le **sucre** sugar *4, III*
le **sud** south *3, IV*
ça **suffit!** that's enough! *4, III*
  suggérer to suggest *3, VII*
  suit (suivre) follows *3, I*
  sûr sure *2, IV*
la **Sûreté** National Police *1, IX*
  svelte slender *3, I*

T

de **taille moyenne** of average
    size *4, VI*
  tais-toi! shut up! *2, VI*
  tamponner to stamp *1, IV*
  tant pis so much the worse *2, VII*
la **tante** aunt *3, III*
  taper to slap *2, IX*
le **téléviseur** television set *3, III*
  tellement so, so many *2, IV*
la **tempe** side of head *4, X*
la **tempête** storm *2, VIII*
la **terre** ground *2, VI*
le **thé** tea *1, X*
  tiens here! *2, V*
  tient (tenir) holds *1, X*
  tirer to shoot *2, IX;* to pull *2, IX*
le **toit** roof *4, II*
le **tombeau** tomb *1, VI*
  tomber to fall *2, III*
    tomber en panne to break
        down *3, II*
le **ton** (m) tone *3, VIII*
    d'un ton sévère sternly *1, IV*
un **tort** (m) wrong
    avoir tort to be wrong *4, V*
    (il a tort)
  tôt early *3, VIII*
    plus tôt que d'habitude earlier
        than usual *3, VII*
  toujours always *3, II*
la **tour** tower *1, VI*
le **tour** tour *1, V*
la **tour de contrôle** control tower *1, II*
la **tournée** a round, circuit *4, VII*
le **tourniquet** turnstile *1, VIII*
  tous all *1, I*
  tout à fait completely *3, a-p*

  tout de suite immediately *1, VII*
  tout le monde everybody *1, IV*
la **trace** footprint *2, V*
  tranquille peaceful *2, VIII*
  traverser to cross *1, III*
le **trésor** treasure *2, VI*
  triste sad *1, X*
  trop too *2, IV*
le **trou** hole *2, VI*
le **troupeau** herd *2, VIII*
  trouver to find *1, III*
se **trouver** to be situated *3, II*
  tutoyons-nous let's use tu with
      each other *2, II*
le **type** (m) guy *3, IV*

V

les **vacances** (f) vacation *4, X*
la **vache** cow *2, II*
le **vagabond** wanderer *3, IV*
la **valise** suitcase *1, I*
  vendredi Friday *1, I*
le **vent** wind *4, II*
  vérifier to check out *3, X*
  véritable true *4, a-p*
la **vérité** truth *1, IX*
le **verre** glass *3, IX*
  vers towards *1, I*
  verser to pour *3, IX*
  vert green *1, I*
la **veste** suitcoat *3, VIII*
  vieille (f) old *1, VI*
  viennent (venir) (they) come *2, I*
  vient (venir) comes *1, I*
  vient de has just *1, X*
  vieux (m) old *1, VI*
  vif lively, bright (color) *4, VIII*
la **vigne** grapevine *3, V*
  vinaigrette with oil and vinegar
      dressing *2, IV*
le **virage** a turn, curve *3, X/4, I*
    virages curves ahead *4, V*
la **vitesse** speed
    à toute vitesse at full speed *2, III*
la **voile** sail *4, II*
le **voisin** neighbor *2, IV*
  voit (voir) sees *1, I*
la **voix** voice *2, VI*
    à voix basse in a whisper *2, VI*
    à haute voix in a shout *2, VIII*
le **vol** flight *1, I*
le **volant** steering wheel *2, IX*
  voler to fly *1, II*
le **volet** shutter *3, IV*
le **voleur** thief *1, VII*
  volontiers gladly *2, X*
ils **vont (aller)** they go *1, I*
je **voudrais** I would like *2, I*
  vrai true, real *1, X*

W Y Z

le **W.C.** restroom *1, V*
les **yeux** (m) eyes *1, I*
  zut! rats! *3, X*